Michel Tournier

# Pierrot
# ou les secrets
# de la nuit

## Illustré par Danièle Bour

GALLIMARD JEUNESSE

Deux petites maisons blanches se faisaient face dans le village de Pouldreuzic. L'une était la blanchisserie. Personne ne se souvenait du vrai nom de la blanchisseuse, car tout le monde l'appelait Colombine en raison de sa robe neigeuse qui la faisait ressembler à une colombe. L'autre maison était la boulangerie de Pierrot.

Pierrot et Colombine avaient grandi ensemble sur les bancs de l'école du village. Ils étaient si souvent réunis que tout le monde imaginait que plus tard ils se marieraient. Pourtant la vie les avait séparés,

lorsque Pierrot était devenu mitron et Colombine blanchisseuse. Forcément, un mitron travaille la nuit, afin que tout le village ait du pain frais et des croissants chauds le matin. Une blanchisseuse travaille le jour. Tout de même, ils auraient pu se rencontrer aux crépuscules, le soir quand

Colombine s'apprêtait à se coucher et quand Pierrot se levait, ou le matin quand la journée de Colombine commençait et quand la nuit de Pierrot s'achevait.

Mais Colombine évitait Pierrot, et le pauvre mitron se rongeait de chagrin.

Pourquoi Colombine évitait-elle Pierrot ?
Parce que son ancien ami évoquait pour elle
toutes sortes de choses déplaisantes.
Colombine n'aimait que le soleil, les
oiseaux et les fleurs. Elle ne s'épanouissait
qu'en été, à la chaleur. Or le mitron, nous
l'avons dit, vivait surtout la nuit, et pour
Colombine, la nuit n'était qu'une obscurité
peuplée de bêtes effrayantes comme les
loups ou les chauves-souris. Elle préférait
alors fermer sa porte et ses volets, et se
pelotonner sous sa couette pour dormir. Et
ce n'était pas tout, car la vie de Pierrot se
creusait de deux autres obscurités encore
plus inquiétantes, celle de sa cave et celle de

son four. Qui sait s'il n'y avait pas des rats dans sa cave ? Et ne dit-on pas : « noir comme un four » ?

Il faut avouer d'ailleurs que Pierrot avait le physique de son emploi. Peut-être parce qu'il travaillait la nuit et dormait le jour, il avait un visage rond et pâle qui le faisait ressembler à la lune quand elle est pleine. Ses grands yeux attentifs et étonnés lui don-naient l'air d'une chouette, comme aussi ses vêtements amples, flottants et tout blancs de farine. Comme la lune, comme la chouette, Pierrot était timide, silencieux, fidèle et secret. Il préférait l'hiver à l'été, la solitude à la société, et plutôt que de parler – ce qui lui coûtait et dont il s'acquittait mal – il aimait mieux écrire, ce qu'il faisait à la chandelle, avec une immense plume, adressant à Colombine de longues lettres qu'il ne lui envoyait pas, persuadé qu'elle ne les lirait pas. Qu'écrivait Pierrot dans ses lettres ? Il s'efforçait de détromper Colombine. Il lui expliquait que la nuit n'était pas ce qu'elle croyait.

Pierrot connaît la nuit. Il sait que ce n'est pas un trou noir, pas plus que sa cave ni son four. La nuit, la rivière chante plus haut et plus clair, et elle scintille de mille et mille écailles d'argent. Le feuillage que les grands arbres secouent sur le ciel sombre est tout pétillant d'étoiles. Les souffles de la nuit sentent plus profondément l'odeur de la mer, de la forêt et de la montagne que les souffles du jour imprégnés par le travail des hommes.

Pierrot connaît la lune. Il sait la regarder. Il sait voir que ce n'est pas un disque blanc et plat comme une assiette. Il la regarde

avec assez d'attention et d'amitié pour voir
à l'œil nu qu'elle possède un relief, qu'il
s'agit en vérité d'une boule – comme une
pomme, comme une citrouille – et qu'en
outre elle n'est pas lisse, mais bien sculptée,
modelée, vallonnée – comme un paysage

avec ses collines et ses vallées, comme un visage avec ses rides et ses sourires.

Oui, tout cela Pierrot le sait, parce que sa pâte, après qu'il l'a longuement pétrie et secrètement fécondée avec le levain, a besoin de deux heures pour se reposer et lever. Alors il sort de son fournil. Tout le monde dort. Il est la conscience claire du village. Il en parcourt les rues et les ruelles, ses grands yeux ronds largement ouverts sur le sommeil des autres, ces hommes, ces femmes, ces enfants qui ne s'éveilleront que pour manger les croissants chauds qu'il leur aura préparés. Il passe sous les fenêtres closes de Colombine. Il devient le veilleur du village, le gardien de Colombine. Il imagine la jeune fille soupirant et rêvant dans la moite blancheur de son grand lit, et lorsqu'il lève sa face pâle vers la lune, il se demande si cette douce rondeur qui flotte au-dessus des arbres dans un voile de brume est celle d'une joue, d'un sein, ou mieux encore d'une fesse.

Sans doute les choses auraient-elles pu durer encore longtemps de la sorte, si un beau matin d'été, tout enluminé de fleurs et d'oiseaux, un drôle de véhicule tiré par un homme n'avait fait son entrée dans le village. Cela tenait de la roulotte et de la baraque de foire, car d'une part il était évident qu'on y pouvait s'abriter et dormir, et d'autre part cela brillait de couleurs vives, et des rideaux richement peints flottaient comme des bannières tout autour de l'habitacle. Une enseigne vernie couronnait le véhicule :

L'homme vif, souple, aux joues vermeilles, aux cheveux roux et frisés, était vêtu d'une sorte de collant composé d'une mosaïque de petits losanges bariolés. Il y avait là toutes les couleurs de l'arc-en-ciel, plus quelques autres encore, mais aucun losange n'était blanc ni noir. Il arrêta son chariot devant la boulangerie de Pierrot, et examina avec une moue de réprobation sa façade nue et triste qui ne portait que ces deux mots :

PIERROT BOULANGER

Il se frotta les mains d'un air décidé et entreprit de frapper à la porte. C'était le plein du jour, nous l'avons dit, et Pierrot dormait à poings fermés. Arlequin dut tambouriner longtemps avant que la porte s'ouvrît sur un Pierrot plus pâle que jamais et titubant de fatigue. Pauvre Pierrot ! On aurait vraiment dit une chouette, tout blanc, ébouriffé, ahuri, les yeux clignotant à la lumière impitoyable de midi. Aussi, avant même qu'Arlequin ait pu ouvrir la bouche, un grand rire éclata derrière lui. C'était

Colombine qui observait la scène de sa fenêtre, un gros fer à repasser à la main. Arlequin se retourna, l'aperçut et éclata de rire à son tour, et Pierrot se trouva seul et triste dans sa défroque lunaire en face de ces deux enfants du soleil que rapprochait leur commune gaieté. Alors il se fâcha, et, le cœur blessé de jalousie, il referma brutalement la porte au nez d'Arlequin, puis il alla se recoucher, mais il est peu probable qu'il retrouva si vite le sommeil.

Arlequin, lui, se dirige vers la blanchisserie où Colombine a disparu. Il la cherche. Elle reparaît, mais à une autre fenêtre, disparaît, mais à une autre fenêtre, disparaît encore avant qu'Arlequin ait eu le temps d'approcher. On dirait qu'elle joue à cache-cache avec lui. Finalement la porte s'ouvre, et Colombine sort en portant une vaste corbeille de linge propre. Suivie par Arlequin, elle se dirige vers son jardin et commence à étendre son linge sur des cordes pour qu'il sèche. Il s'agit de linge blanc exclusive-

ment. Blanc comme le costume de Colombine. Blanc comme celui de Pierrot.

Mais ce linge blanc, elle l'expose non pas à la lune, mais au soleil, ce soleil qui fait briller toutes les couleurs, celles notamment du costume d'Arlequin.

Arlequin le beau parleur fait des discours

à Colombine. Colombine lui répond. Que se disent-ils ? Ils parlent chiffons. Colombine chiffons blancs. Arlequin chiffons de couleur. Pour la blanchisseuse, le blanc va de soi. Arlequin s'efforce de lui mettre couleurs en tête. Il y réussit un peu d'ailleurs. C'est depuis cette rencontre fameuse de Pouldreuzic qu'on voit le marché de blanc envahi par des serviettes mauves, des taies d'oreillers bleues, des nappes vertes et des draps roses.

Après avoir étendu son linge au soleil, Colombine revient à la blanchisserie. Arlequin qui porte la corbeille vide lui propose de repeindre la façade de sa maison. Colombine accepte.

Aussitôt Arlequin se met au travail. Il démonte sa roulotte, et, avec les pièces et les morceaux, il édifie un échafaudage sur le devant de la blanchisserie. C'est comme si la roulotte démontée prenait possession de la maison de Colombine. Arlequin se juche prestement sur son échafaudage.

Avec son collant multicolore et sa crête de cheveux rouges, il ressemble à un oiseau exotique sur son perchoir. Et comme pour accentuer la ressemblance, il chante et il siffle avec entrain. De temps en temps, la tête de Colombine sort d'une fenêtre, et ils échangent des plaisanteries, des sourires et des chansons.

Très vite le travail d'Arlequin prend figure. La façade blanche de la maison disparaît sous une palette multicolore. Il y a là toutes les couleurs de l'arc-en-ciel plus quelques autres, mais ni noir, ni blanc, ni gris.

Mais il y a surtout deux inventions d'Arlequin qui prouveraient, s'il en était besoin, qu'il est vraiment le plus entreprenant et le plus effronté de tous les peintres en bâtiment. D'abord il a figuré sur le mur une Colombine grandeur nature portant sur sa tête sa corbeille de linge. Mais ce n'est pas tout. Cette Colombine, au lieu de la représenter dans ses vêtements blancs habituels, Arlequin lui a fait une robe de petits losanges multicolores, tout pareils à ceux de son propre collant. Et il y a encore autre chose. Certes il a repeint en lettres noires sur fond blanc le mot BLANCHISSERIE, mais il a ajouté à la suite en lettres de toutes les couleurs : TEINTURERIE ! Il a travaillé si vite que tout est terminé quand le soleil se couche, bien que la peinture soit encore loin d'être sèche.

Le soleil se couche et Pierrot se lève. On voit le soupirail de la boulangerie s'allumer et rougeoyer de chauds reflets. Une lune énorme flotte comme un ballon laiteux dans le ciel phosphorescent. Bientôt Pierrot sort de son fournil. Il ne voit d'abord que la lune. Il en est tout rempli de bonheur. Il court vers elle avec de grands gestes d'adoration. Il lui sourit, et la lune lui rend son sourire. En vérité ils sont comme frère et sœur, avec leur visage rond et leurs vêtements vaporeux. Mais à force de danser et de tourner, Pierrot se prend les pieds dans les pots de peinture qui jonchent le sol. Il se heurte à l'échafaudage dressé sur la maison de Colombine. Le choc l'arrache à son rêve. Que se passe-t-il ? Qu'est-il arrivé à la blanchisserie ? Pierrot ne reconnaît plus cette façade bariolée, ni surtout cette Colombine en costume d'Arlequin.

Et ce mot barbare accolé au mot blanchisserie : TEINTURERIE ! Pierrot ne danse plus, il est frappé de stupeur. La lune dans le ciel grimace de douleur. Ainsi donc Colombine s'est laissé séduire par les couleurs d'Arlequin ! Elle s'habille désormais comme lui, et au lieu de savonner et de repasser du linge blanc et frais, elle va faire mariner dans des cuves de couleurs chimiques nauséabondes et salissantes des frusques défraîchies !

Pierrot s'approche de l'échafaudage. Il le palpe avec dégoût. Là-haut une fenêtre brille. C'est terrible un échafaudage, parce que ça permet de regarder par les fenêtres des étages ce qui se passe dans les chambres ! Pierrot grimpe sur une planche, puis sur une autre. Il s'avance vers la fenêtre allumée. Il y jette un coup d'œil. Qu'a-t-il vu ? Nous ne le saurons jamais ! Il fait un bond en arrière. Il a oublié qu'il était perché à trois mètres du sol sur un échafaudage. Il tombe. Quelle chute ! Est-il mort ? Non. Il se relève péniblement. En boitant, il rentre dans la boulangerie. Il allume une chandelle, il trempe sa grande plume dans l'encrier. Il écrit une lettre à Colombine. Une lettre ? Non, seulement un bref message. Il ressort, son enveloppe à la main. Toujours boitant, il hésite et cherche un moment, puis il prend le parti d'accrocher son message à l'un des montants de l'écha-

faudage. Puis il rentre. Le soupirail s'éteint. Un gros nuage vient masquer la face triste de la lune.

Un nouveau jour commence sous un soleil glorieux. Arlequin et Colombine bondissent hors de la blanchisserie-teinturerie en se tenant par la main. Colombine n'a plus sa robe blanche habituelle. Elle a une robe faite de petits losanges de couleur, de toutes les couleurs, mais sans noir ni blanc. Elle est vêtue comme la Colombine peinte par Arlequin sur la façade de la maison. Elle est devenue une Arlequine. Comme ils sont heureux ! Ils dansent ensemble autour de la maison. Puis Arlequin, toujours dansant, se livre à un curieux travail. Il démonte l'échafaudage dressé contre la maison de Colombine. Et, en même temps, il remonte son drôle de véhicule. La roulotte prend forme. Colombine l'essaie. Arlequin a l'air de considérer que leur départ va de soi. C'est que le peintre est un vrai nomade. Il vit sur son échafaudage

comme l'oiseau sur la branche. Il n'est pas
question pour lui de s'attarder. D'ailleurs, il
n'a plus rien à faire à Pouldreuzic, et la
campagne brille de tous ses charmes.

Colombine paraît d'accord pour s'en
aller. Elle porte dans la roulotte un léger

baluchon. Elle ferme les volets de la maison. La voilà avec Arlequin dans la roulotte. Ils vont partir. Pas encore. Arlequin descend. Il a oublié quelque chose. Une pancarte qu'il peint à grands gestes, puis qu'il accroche à la porte de la maison :

*Fermée pour cause
de voyage de noces*

Cette fois, ils peuvent partir. Arlequin s'attelle à la roulotte, et la tire sur la route. Bientôt la campagne les entoure et leur fait fête. Il y a tant de fleurs et de papillons qu'on dirait que le paysage a mis un costume d'arlequin !

La nuit tombe sur le village. Pierrot se hasarde hors de la boulangerie. Toujours boitant, il s'approche de la maison de Colombine. Tout est fermé. Soudain il avise la pancarte. Elle est tellement affreuse, cette pancarte, qu'il n'arrive pas à la lire. Il se frotte les yeux. Il faut bien pourtant qu'il se rende à l'évidence. Alors, toujours clopin-clopant, il regagne son fournil. Il en ressort

bientôt. Lui aussi a sa pancarte. Il l'accroche à sa porte avant de la refermer brutalement. On peut y lire :

*Fermée pour cause
de chagrin d'amour*

Les jours passent. L'été s'achève. Arlequin et Colombine continuent à parcourir le pays. Mais leur bonheur n'est plus le même. De plus en plus souvent maintenant, c'est

Colombine qui traîne la roulotte tandis qu'Arlequin s'y repose. Puis le temps se gâte. Les premières pluies d'automne crépitent sur leur tête. Leurs beaux costumes bariolés commencent à déteindre. Les arbres deviennent roux, puis perdent leurs feuilles. Ils traversent des forêts de bois morts, des champs labourés bruns et noirs.

Et un matin, c'est le coup de théâtre ! Toute la nuit le ciel s'est empli de flocons voltigeants. Quand le jour se lève, la neige recouvre toute la campagne, la route, et même la roulotte. C'est le grand triomphe du blanc, le triomphe de Pierrot. Et comme pour couronner cette revanche du mitron, ce soir-là une lune énorme et argentée flotte au-dessus du paysage glacé.

Colombine pense de plus en plus souvent à Pouldreuzic, et aussi à Pierrot, surtout quand elle regarde la lune. Un jour un petit papier s'est trouvé dans sa main, elle ne sait pas comment. Elle se demande si le mitron est passé par là récemment pour déposer ce message. En réalité il l'a écrit pour elle et attaché à l'un des montants de l'échafaudage devenu l'une des pièces de la roulotte. Elle lit :

*Colombine !*

*Ne m'abandonne pas ! Ne te laisse pas séduire par les couleurs chimiques et superficielles d'Arlequin ! Ce sont des couleurs toxiques, malodorantes et qui s'écaillent. Mais moi aussi j'ai mes couleurs. Seulement ce sont des couleurs vraies et profondes.*

*Écoute bien ces merveilleux secrets :*

*Ma nuit n'est pas noire, elle est bleue ! Et c'est un bleu qu'on respire.*

*Mon four n'est pas noir, il est doré ! Et c'est un or qui se mange.*

*La couleur que je fais réjouit l'œil, mais en outre elle est épaisse, substantielle, elle sent bon, elle est chaude, elle nourrit.*

*Je t'aime et je t'attends,*

*Pierrot*

Une nuit bleue, un four doré, des couleurs vraies qui se respirent et qui nourrissent, c'était donc cela le secret de Pierrot? Dans ce paysage glacé qui ressemble au costume du mitron, Colombine réfléchit et hésite.

Arlequin dort au fond de la roulotte sans penser à elle. Tout à l'heure, il va falloir remettre la bricole qui lui meurtrit l'épaule et la poitrine pour tirer le véhicule sur la route gelée. Pourquoi? Si elle veut retourner chez elle, qu'est-ce qui la retient auprès d'Arlequin puisque les belles couleurs ensoleillées qui l'avaient séduite sont fanées? Elle saute hors du véhicule. Elle rassemble son baluchon, et la voilà partie d'un pied léger en direction de son village.

Elle marche, marche, marche la petite Colombine-Arlequine dont la robe a perdu ses brillantes couleurs sans être redevenue blanche pour autant. Elle fuit dans la neige qui fait un doux frou-frou froissé sous ses pieds et frôle ses oreilles; fuite-frou-fuite-frou-fuite-frou… Bientôt elle voit dans sa

tête une quantité de mots en F qui se ras-
semblent en une sombre armée, des mots
méchants : froid, fer, faim, folie, fantôme,
faiblesse. Elle va tomber par terre, la pauvre
Colombine, mais heureusement un essaim
de mots en F également, des mots frater-
nels, vient à son secours, comme envoyé
par Pierrot : fumée, force, fleur, feu, farine,
fournil, flambée, festin, féerie…

Enfin elle arrive au village. C'est la pleine nuit. Tout dort sous la neige. Neige blanche ? Nuit noire ? Non. Parce qu'elle s'est rapprochée de Pierrot, Colombine a maintenant des yeux pour voir : bleue est la nuit, bleue est la neige, c'est évident ! Mais il ne s'agit pas du bleu de Prusse criard et toxique dont Arlequin possède tout un pot. C'est le bleu lumineux, vivant des lacs, des glaciers et du ciel, un bleu qui sent bon et que Colombine respire à pleins poumons.

Voici la fontaine prisonnière du gel, la vieille église, et voici les deux petites maisons qui se font face, la blanchisserie de Colombine et la boulangerie de Pierrot. La blanchisserie est éteinte et comme morte, mais la boulangerie donne des signes de vie. La cheminée fume et le soupirail du fournil jette sur la neige du trottoir une lueur tremblante et dorée. Certes Pierrot n'a pas menti quand il a écrit que son four n'était pas noir mais d'or !

Colombine s'arrête interdite devant le

soupirail. Elle voudrait s'accroupir devant cette bouche de lumière qui souffle jusque sous sa robe de la chaleur et une enivrante odeur de pain, pourtant elle n'ose pas. Mais tout à coup la porte s'ouvre, et Pierrot apparaît. Est-ce le hasard ? A-t-il pressenti la venue de son amie ? Ou simplement a-t-il aperçu ses pieds par le soupirail ? Il lui tend les bras, mais au moment où elle va s'y jeter, pris de peur, il s'efface et l'entraîne dans son fournil. Colombine a l'impression de descendre dans un bain de tendresse. Comme on est bien ! Les portes du four sont fermées, pourtant la flamme est si vive à l'intérieur qu'elle suinte par toutes sortes de trous et de fentes.

Pierrot, tapi dans un coin, boit de tous ses yeux ronds cette apparition fantastique : Colombine dans son fournil ! Colombine, hypnotisée par le feu, le regarde du coin de l'œil et trouve que décidément il fait très

oiseau de nuit, ce bon Pierrot enfoncé dans l'ombre avec les grands plis blancs de sa blouse et son visage lunaire. Il faudrait qu'il lui dise quelque chose, mais il ne peut pas, les mots lui restent dans la gorge.

Le temps passe. Pierrot baisse les yeux vers son pétrin où dort la grande miche de pâte blonde. Blonde et tendre comme Colombine… Depuis deux heures que la pâte dort dans le pétrin de bois, le levain a fait son œuvre vivante. Le four est chaud, il va être l'heure d'enfourner la pâte. Pierrot regarde Colombine. Que fait Colombine ? Épuisée par la longue route qu'elle a parcourue, bercée par la douce chaleur du fournil, elle s'est endormie sur le coffre à farine dans une pose de délicieux abandon. Pierrot a les larmes aux yeux d'attendrissement devant son amie venue se réfugier chez lui pour fuir les rigueurs de l'hiver et un amour mort.

Arlequin avait fait le portrait peint de Colombine-Arlequine en costume bariolé sur le mur de la blanchisserie. Pierrot a une idée. Il va sculpter une Colombine-Pierrette à sa manière dans sa pâte à brioche. Il se met au travail. Ses yeux vont sans cesse de la jeune fille endormie à la miche couchée dans le pétrin. Ses mains aimeraient caresser l'endormie, bien sûr, mais fabriquer une Colombine en pâte, c'est presque aussi plaisant. Quand il pense avoir terminé son œuvre, il la compare avec son modèle vivant. Évidemment la Colombine de pâte est un peu blême ! Vite, au four !

Le feu ronfle. Il y a maintenant deux Colombine dans le fournil de Pierrot. C'est alors que des coups timides frappés à la porte réveillent la vraie Colombine. Qui est là ? Pour toute réponse, une voix s'élève, une voix rendue faible et triste par la nuit et le froid. Mais Pierrot et Colombine reconnaissent la voix d'Arlequin, le chanteur sur tréteaux, bien qu'elle n'ait plus – tant s'en faut – ses accents triomphants de l'été. Que chante-t-il, l'Arlequin transi ? Il chante une

chanson devenue célèbre depuis, mais dont
les paroles ne peuvent se comprendre que si
l'on connaît l'histoire que nous venons de
raconter :

*Au clair de la lune,*
*Mon ami Pierrot !*
*Prête-moi ta plume*
*Pour écrire un mot.*
*Ma chandelle est morte,*

*Je n'ai plus de feu.*
*Ouvre-moi ta porte,*
*Pour l'amour de Dieu !*

C'est que le pauvre Arlequin avait retrouvé au milieu de ses pots de peinture le message abandonné par Colombine, grâce auquel Pierrot avait convaincu la jeune fille de revenir à lui. Ainsi ce beau parleur avait mesuré le pouvoir que possèdent parfois ceux qui écrivent, et aussi ceux qui possèdent un four en hiver. Et naïvement il demandait à Pierrot de lui prêter sa plume et son feu. Croyait-il vraiment avoir des chances de reconquérir aussi Colombine ?

Pierrot a pitié de son rival malheureux. Il lui ouvre sa porte. Un Arlequin piteux et décoloré se précipite vers le four dont les portes continuent de suinter chaleur, couleur et bonne odeur. Comme il fait bon chez Pierrot !

Le mitron est transfiguré par son triomphe. Il fait de grands gestes amplifiés

par ses longues manches flottantes. D'un mouvement théâtral, il ouvre les deux portes du four. Un flot de lumière dorée, de chaleur maternelle et de délicieuse odeur de pâtisserie baigne les trois amis. Et maintenant, à l'aide de sa longue pelle de bois, Pierrot fait glisser quelque chose hors du four. Quelque chose ? Quelqu'un plutôt ! Une jeune fille de croûte dorée, fumante et croustillante qui ressemble à Colombine comme une sœur.

Ce n'est plus la Colombine-Arlequine plate et bariolée de couleurs chimiques peinte sur la façade de la blanchisserie, c'est une Colombine-Pierrette, modelée en pleine brioche avec tous les reliefs de la vie, ses joues rondes, sa poitrine pigeonnante et ses belles petites fesses pommées.

Colombine a pris Colombine dans ses bras au risque de se brûler.

– Comme je suis belle, comme je sens bon ! dit-elle.

Pierrot et Arlequin observent fascinés

cette scène extraordinaire. Colombine étend
Colombine sur la table, elle écarte des deux
mains avec une douceur gourmande les
seins briochés de la Colombine. Elle plonge
un nez avide, une langue frétillante dans
l'or moelleux du décolleté. Elle dit, la
bouche pleine :

– Comme je suis savoureuse ! Vous aussi, mes chéris, goûtez, mangez la bonne Colombine ! Mangez-moi !

Et ils goûtent, ils mangent la chaude Colombine de mie fondante. Ils se regardent. Ils sont heureux. Ils voudraient rire, mais comment faire avec des joues gonflées de brioche ?

*Fin*

# L'auteur

**Michel Tournier** est né en 1924 d'un père gascon et d'une mère bourguignonne, universitaires et germanistes. Après des études de droit et de philosophie, il s'oriente vers la photographie (il a produit une émissions de télévision, *Chambre noire*, consacrée aux photographes), puis vers l'édition. Il aime beaucoup voyager. Il publie en 1967 son premier roman, *Vendredi ou les Limbes du Pacifique*, couronné par le grand prix de l'Académie française, d'après lequel il a écrit par la suite *Vendredi ou la vie sauvage*. *Le roi des Aulnes* obtient le prix Goncourt en 1970. Dès lors, Michel Tournier, dans son vieux presbytère de la vallée de Chevreuse, se consacre au « métier d'écrivain ». Il est mort chez lui le 18 janvier 2016 à l'âge de quatre-vingt-onze ans.

# L'illustratrice

**Danièle Bour** est née le 16 août 1939 à Chaumont, en Haute-Marne. Diplômée de l'École des beaux-arts de Nancy, elle se consacre à partir de 1972 à l'illustration de livres pour enfants et publie son premier livre, *Au fil des jours s'en vont les jours* (Grasset). Elle illustrera par la suite de nombreux autres livres tout en développant une activité de peintre. En 1979, elle crée aux éditions Bayard un personnage qui deviendra rapidement célèbre, Petit ours Brun. Mère de trois enfants, Danièle Bour a su insuffler sa passion à ses deux filles, Laura et Céline, qui l'ont ensuite suivie dans sa carrière d'illustratrice.

# Découvre d'autres contes

## L'homme qui plantait des arbres
*de Jean Giono illustré par Olivier Desvaux*

En Provence, dans une région aride et sauvage,
un berger solitaire plante des arbres, des milliers
d'arbres. Alors, au fil des ans, les collines autrefois
nues reverdissent et les villages désertés reprennent
vie. Voici l'histoire d'Elzéard Bouffier, le silencieux,
le méticuleux, l'homme qui réconcilie l'homme
et la nature.

## La petite fille aux allumettes
*de H. C. Andersen illustré par Julie Faulques*

La veille du jour de l'An, une petite fille marche seule
et pieds nus dans le froid et dans la neige en serrant
contre son cœur une petite boîte d'allumettes.
Personne ne fait attention à elle : les passants sont
pressés de rentrer chez eux préparer la fête. Pour
tenter de se réchauffer un peu, la petite fille craque
une première allumette, puis une autre…

## Comment Wang-Fô fut sauvé
*de Marguerite Yourcenar illustré par Georges Lemoine*

Voici l'histoire de Wang-Fô, le fameux peintre chinois.
Ses tableaux étaient si beaux qu'on les disait magiques.
Un jour, l'empereur convoqua le vieux maître qu'il
admirait tant pour le menacer d'un terrible châtiment.

———

## Petits contes nègres pour les enfants des Blancs
*de Blaise Cendrars illustré par Jacqueline Duhême*

Connais-tu les histoires qu'écoutent les enfants d'Afrique ?
Sais-tu d'où vient le vent ou ce que chantent les souris ?
Veux-tu suivre le petit poussin qui va voir le roi et
découvrir les mauvais tours de l'oiseau de la cascade ?
Ces contes étonnants, pleins de malice et de sagesse,
Blaise Cendrars le poète va te les raconter...

———

## Voyage au pays des arbres
*de J. M. G Le Clézio illustré par Henri Galeron*

Un petit garçon qui s'ennuie et qui rêve de voyager
s'enfonce dans la forêt, à la rencontre des arbres.
Il prend le temps de les apprivoiser, surtout le vieux
chêne qui a un regard si profond. Il peut même les
entendre parler. Et quand les jeunes arbres l'invitent
à leur fête, le petit garçon sait qu'il ne sera plus
jamais seul.

———

Maquette : Isy Ochoa et Karine Benoit

ISBN : 978-2-07-511906-1
N° d'édition : 343682
Loi n° 49-956 du 16 juillet 1949
sur les publications destinées à la jeunesse
Premier dépôt légal : octobre 1989
Dépôt légal : janvier 2019
Imprimé en Espagne par Novoprint (Barcelone)